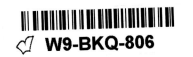

Les enfants et la science

Couleurs

Le vert

Jared Siemens

Weigl

Publié par Weigl Educational Publishers Limited
6325 10th Street SE
Calgary, Alberta T2H 2Z9
Site web : www.weigl.ca

Catalogage avant publication de Bibliothèque et Archives Canada

Siemens, Jared
[Green. Français]
Le vert / Jared Siemens.

(Les enfants et la science. Couleurs)
Traduction de : Green.
Publié en formats imprimé(s) et électronique(s).
ISBN 978-1-4872-0092-3 (relié).--ISBN 978-1-4872-0093-0 (livre électronique multiutilisateur)

1. Vert--Ouvrages pour la jeunesse. 2. Couleurs--Ouvrages pour la jeunesse. I. Titre. II. Titre : Green. Français.

QC495.5.S54314 2014 j535.6 C2014-901765-0
C2014-901766-9

Imprimé à North Mankato, Minnesota, aux États-Unis d'Amérique
1 2 3 4 5 6 7 8 9 0 18 17 16 15 14

052014
WEP010714

Coordonnateur de projet : Jared Siemens
Conceptrice : Mandy Christiansen
Traduction : Translation Cloud LLC

Weigl reconnaît que les images Getty et iStock sont les principales fournisseurs d'images pour ce titre.

Tous les efforts raisonnablement possibles ont été mis en œuvre pour déterminer la propriété du matériel protégé par les droits d'auteur et obtenir l'autorisation de le reproduire. N'hésitez pas à faire part à l'équipe de rédaction de toute erreur ou omission, ce qui permettra de corriger les futures éditions.

Dans notre travail d'édition nous recevons le soutien financier du gouvernement du Canada par l'entremise du Fonds du livre du Canada.

Les enfants et la science
Couleurs

Le vert

CONTENU

Quelle est cette couleur?
Je l'ai déjà vu!

Je vois des choses vertes! Peux-tu m'aider à en trouver plus?

Je vois du vert sur chaque marche.

Je vois du vert sur cette chaise.

Y a-t-il du vert chez toi? Peux-tu me dire où se trouvent les objets verts?

Le vert est la couleur de certains aliments que les gens mangent.

Quels sont les aliments verts sucrés?

Je vois un bloc vert.

Je vois une balle verte.

Quel est ton jouet vert préféré?

Regarde le sol.

Regarde dans les arbres.

Je vois des feuilles vertes et de l'herbe qui bouge dans le vent.

Je vois un oiseau vert.

Je vois un serpent vert.

Combien d'animaux verts peux-tu trouver à côté d'un lac?

Les aires de jeux sont amusantes. Il y a beaucoup de choses à faire.

On peut aussi se balancer dans les bars verts et faire une glissade aussi!

Je vois un crayon vert.

Je vois un livre vert.

Y a-t-il des objets vers dans ton école? S'il te plait, aide-moi à chercher.

Le vert
signifie partir.

Le vert
signifie pousser.

Le vert peut signifier d'autres choses. Combien en connais-tu?

Trouve la place de ces objets verts dans ce livre.

Retourne dans les pages et observe plus attentivement!